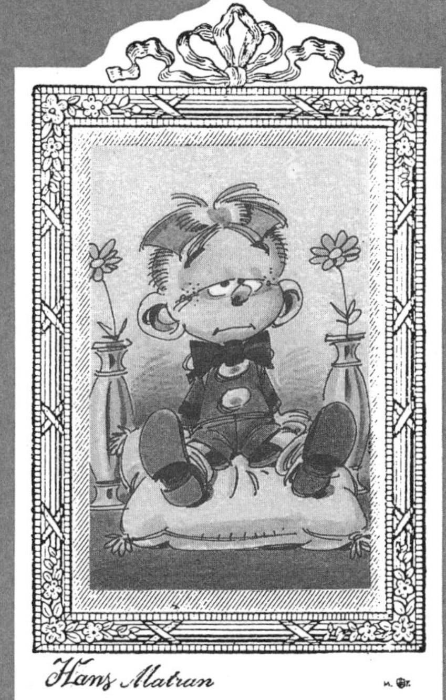
Hans Matran

TU COMPRENDRAS QUAND TU S'RAS GRAND!

Précédé de "LE MYSTÈRE DES TOILETTES SÉPARÉES"
(ENFIN ET POUR LA 1RE FOIS RÉVÉLÉ PAR LE PETIT SPIROU)

GRIBOUILLAGES : JANRY
GRIFFONAGES : TOME
BARBOUILLAGES : STÉPHANE DE BECKER
Enfantillages SUPPLÉMENTAIRES : DAN VERLINDEN

À Clémence, Noam et Zoé.
T & J.

DUPUIS

Il y avait déjà LE GRAND SPIROU.
Désormais, il y a LE PETIT SPIROU.

Comprenons-nous : même si LE PETIT est plus petit que LE GRAND (qui est le plus grand)...

...LE PETIT, ce n'est pas le petit frère du GRAND.

LE PETIT SPIROU,
c'est simplement LE GRAND quand il était petit.

Mais attention : en simplifiant, on pourrait penser que LE GRAND est pour les grands lecteurs, et LE PETIT pour les petits...

Ce serait trop simple.

LE PETIT SPIROU est aussi bien pour petits et grands que LE GRAND (qui a déjà conquis tant de grands et petits).

C'est clair, non ?

Quelques copains...

VERTIGNASSE

Prénom : Antoine. Mon meilleur ami depuis qu'on nous a surpris à épier par le trou de la serrure du vestiaire des filles. Lui et moi, c'est "A la vie, à la mort!" On ne se quittera jamais. Sauf s'il me volait ma fiancée... Mais il ne ferait pas une chose pareille.

SUZETTE

Son vrai nom, c'est Suzanne BERLINGOT. C'est ma fiancée. Enfin, je crois : elle a son caractère. Parfois, je ne sais plus où on en est. Grand-papy prétend que c'est cela, le mystère féminin. Fille du pâtissier. Déteste qu'on la prenne pour une crêpe.

PONCHELOT

Nicolas, dit "BOULE DE GRAS". Mon deuxième meilleur ami. Il mange trop, celui-là. Un jour, il va éclater, tellement il est trop gros. Prétend que c'est un probléme d'hormones, ou un truc comme ça. Mon œil! On me fera pas croire qu'une hormone puisse manger autant.

CASSIUS

Ou plutôt Cyprien Futu. Son papa est le cuisinier de l'école et son oncle, chasseur de chenilles grillées à Ouagadougou. Cyprien est drôlement fort. Il pourrait faire boxeur plus tard, mais lui préfèrerait Indien ou alors marabout pour pouvoir changer le préfet en limace des savanes.

MASSEUR

C'est celui avec la tête allongée, les yeux endormis et l'air d'avoir passé les congés sur Mars. En le voyant, je me dis parfois qu'ils ont dû garder le cerveau à la douane. Et qu'il était si petit qu'ils l'ont perdu...

(Suite page 9.)

ROCK AROUND TH... ...NIGH...
CE QUI EST BIEN DANS LES FÊTES COMME CELLE-CI, C'EST QU'ON NOUS LAISSE RESTER TARD COMME DES GRANDS.
VIVE LA MARIÉE
MARS P...
J'AI ÉTUDIÉ LA QUESTION EN EXPERT, ON NE CONNAÎT RIEN À LA VIE TANT QU'ON N'A PAS PERCÉ...
'ME FAIS PAS RIGOLER, VERT'.

LE MYSTÈRE des TOILETTES SÉPARÉES
(ENFIN ET POUR LA 1re FOIS RÉVÉLÉ PAR LE PETIT SPIROU)

LE MYSTÈRE DES...? AVEC QUOI TU VIENS?
RÉFLÉCHIS! QUE SE PASSE-T-IL DANS LES TOILETTES DES FILLES?
BEN, J'EN SAIS RIEN. JE NE VAIS PAS DANS LES AUTRES TOILETTES QUE CELLES DES HOMMES. C'EST DÉFENDU D'ABORD.
JUSTEMENT! TU NE SAIS PAS! C'EST ÇA LE MYSTÈRE.
ET QUAND ON NE SAIT PAS, ON PARLE PAS! ON ÉCOUTE DONC!

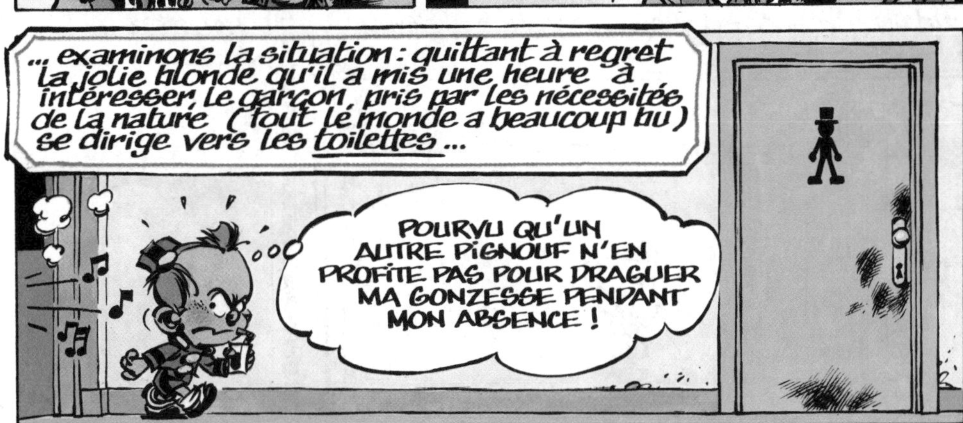
... examinons la situation : quittant à regret la jolie blonde qu'il a mis une heure à intéresser, le garçon, pris par les nécessités de la nature (tout le monde a beaucoup bu) se dirige vers les toilettes...
POURVU QU'UN AUTRE PIGNOUF N'EN PROFITE PAS POUR DRAGUER MA GONZESSE PENDANT MON ABSENCE!

SES toilettes! Les toilettes pour les monsieurs.

Or, au même instant, une petite blondinette se dirige elle aussi vers les toilettes publiques...
iL EST MIGNON. ViTE ! ALLONS VÉRIFIER Si JE N'Ai PAS L'AIR TROP CRUCHE !
SES toilettes, les toilettes pour des madames seulement.
TU VAS TOUT RÉPÉTER COMME ÇA JUSQU'AU BOUT ? ON RAJEUNIT PAS !
FAiS ATTENTION ! ON REVIENT SUR LES MONSIEURS.
Les toilettes pour monsieurs sont un territoire dangereux, hostile. Le visiteur sait que comme le gibier qui vient boire au point d'eau, pendant quelques instants, il sera vulnérable.
GNiiiiiiiiiii
PiPi
POPO
Heureusement, il est seul...
Comme il doit faire pipi, il se place à l'endroit prévu...
50%
50%
...à égale distance de toute menace possible...
...et se concentre pour faire pipi...
...se concentre très fort.
Faire pipi dans des toilettes publiques exige plus de concentration qu'à la maison.
Soudain, un second visiteur pénètre dans ce territoire.
GNiiiiiiiiiii
ADADAS
La tension monte...

Première conséquence : L'espace du territoire doit être partagé.
5%
5%
50%

Un silence pesant s'installe.

Pas un mot.
Et pourtant...

On se guette...

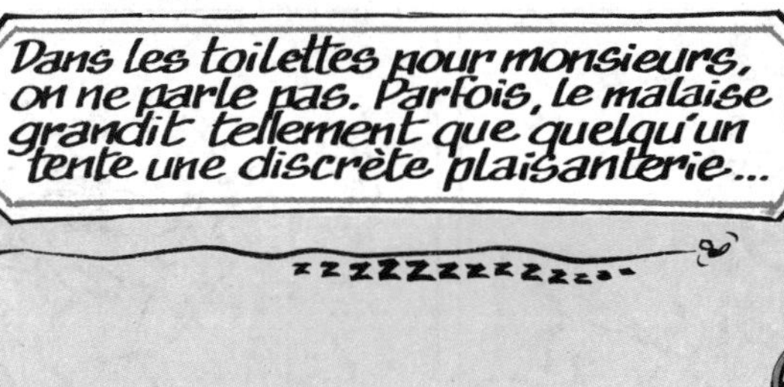
Dans les toilettes pour monsieurs, on ne parle pas. Parfois, le malaise grandit tellement que quelqu'un tente une discrète plaisanterie...

BURP

...Espérant détendre l'atmosphère.

Pendant ce temps-là...
...dans les toilettes des madames
BONJOUR.

... c'est la foule ! surtout devant le miroir.
..Et puis surtout, dans ce territoire-là...
...ON PARLE !

PERSONNE N'A UNE SOURIS ? JE SUIS À COURT !
QUELQU'UN A DU RIMMEL ?
TU TE RENDS COMPTE ? VINGT ANS DE DIFFÉRENCE.
OUH ! MAIS J'AI UNE TÊTE HORRIBLE !
ÇA DÉPEND DANS QUEL SENS !
TIENS ! MON CHOU ! EN VOILÀ UNE ! T'AS DE LA CHANCE !

Deuxièmement, dans les toilettes pour madames, il n'y a pas d'endroit pour faire pipi.
POPO
POPO
POPO
...seulement POPO !

À quelques mètres, chez les monsieurs, la tension est à son paryxo, pyroxa...au maximum.

Parfois, c'est même si intimidant qu'on repart sans avoir fait son besoin!
ADAS

La toilette est expédiée.

Pas question de se laver les dents.

TIC
TCHIC
TCHAC
MUSC
DÉO
TIC
TAC
TIC

TIC!

TAC!

TIC
TAC
TIC
TAC
TIC

Le visiteur disparaît rapidement.

...

Déjà, sa visite n'est plus qu'un souvenir.
COIN

HEP!
POULETTE!

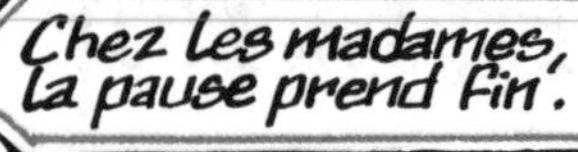
Chez les madames, la pause prend fin.

MOI, JE PRÉFÈRE LES ROUX!
JE CRAQUE!
IL EST MIGNOOON ...ET IL A UN VOILIER!

HEU...J'AI PAS DU ROUGE QUI DÉPASSE

BEUH, MAIS... COMMENT QUE TU SAIS TOUT ÇA, TOI ?
...SI ON PEUT PAS Y ENTRER, DANS LES TOILETTES DES MADAMES ?!

JE SUIS ALLÉ AU PAYS DU MYSTÈRE ET J'EN SUIS REVENU !
?

PRRLLBLBLLLEHRRLLLL

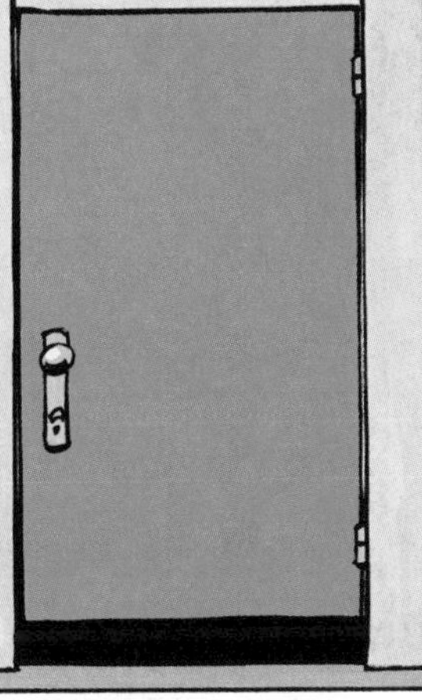

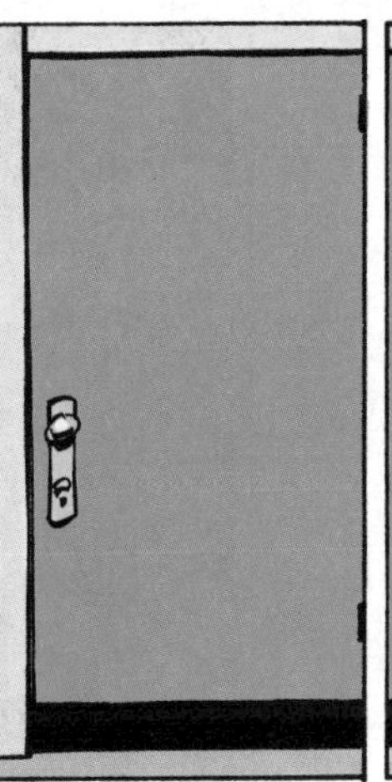

GNiiiiiiiiiiiK

HEU... PARDON, MONSIEUR ! JE CHERCHE LE TRAM TRENTE-QUATRE.
TIC
TAC
TOC

HEIN ?! MAIS ?...
JE SAIS ! ÇA T'LA COUPE.
...MAIS 'FAUT SAVOIR RISQUER GROS POUR PERCER LES MYSTÈRES !

PFF... TOUT CE TRALALA POUR DES HISTOIRES DE POPO !
MIEUX VAUT ENTENDRE ÇA QUE D'ÊTRE SOURD !

J'VAIS PLUTÔT ALLER FAIRE UNE CONVERSATION AVEC LA GRANDE BLONDE LÀ-BAS.
JE SENS COMME UNE CHANCE DE CONCLURE DANS LE FOIN !

J'AI MES INFOS ! ELLE CRAQUE QUE POUR LES MARINS !

HEU... ET LE BRUIT ? C'EST COMMENT QUE TU L'AS FAIT, LE BRUIT ?

SUPER FACILE ! REGARDE !
PRRLLBLBLLEA

MARS

HEU... DIS, MADAME CHIFFRE... HEU, Y A UNE QUESTION QUE JE ME POSE.
?

C'EST QUOI, UNE "SOURIS" ?
Grand-papy a raison.

EH BIEN ...
Tant qu'il y aura des madames...

TU COMPRENDRAS QUAND TU S'RAS GRAND.
...y aura toujours des mystères sans réponses.

TOME & JANRY + DAN Couleurs : STUF

Quelques madames...

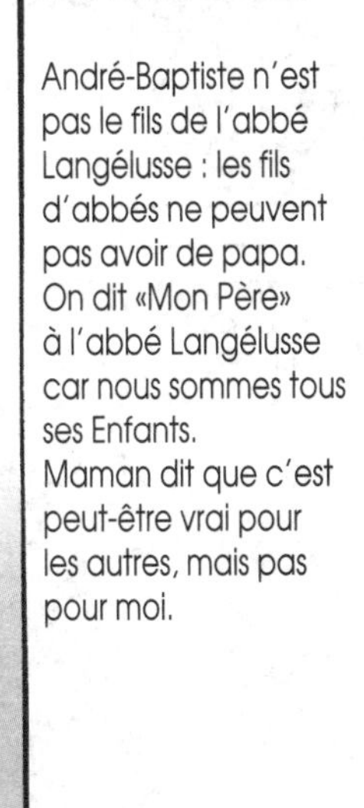

ANDRÉ-BAPTISTE DEPÉRINCONU

André-Baptiste n'est pas le fils de l'abbé Langélusse : les fils d'abbés ne peuvent pas avoir de papa. On dit «Mon Père» à l'abbé Langélusse car nous sommes tous ses Enfants. Maman dit que c'est peut-être vrai pour les autres, mais pas pour moi.

MADEMOISELLE CHIFFRE

(Son prénom s'rait Claudia, y paraît.) C'est notre institutrice de calcul et plein d'autres choses que je n'arrive pas à retenir quand je suis trop près du tableau où elle écrit. Le calcul, c'est pas trop mon fort. Depuis que Grand-Papy prétend l'avoir vue se baigner dans la rivière dans "le plus simple appareil", plus tard je veux devenir mécanicien. Et même, pour les appareils compliqués aussi. Ça m'fait pas peur.

GOURMANDINE

(Madame.) Mon Pépé a une amoureuse. Un joli brin de fille d'à peine quatre fois vingt ans qu'il surnomme parfois "Son P'tit Bolide". Carosserie impeccable, suspension comme neuve, cuirs confortables. Faut parfois parler fort pour couvrir le bruit du moteur, mais c'est de la mécanique d'avant-guerre, construite pour durer.

MAMAN

J'vous la présente plus. Elle est là depuis le début. Elle a toujours été là. Elle sera toujours là. Elle m'aimera toujours, d'abord. Si j'y arrive, un jour je deviendrai une sorte de héros dont elle sera fière. J'ai pensé à un genre d'aventurier avec un animal fidèle et un copain qui prendra les baffes pour deux. En attendant, je profite que je suis encore un enfant, et qu'on me pardonnera tout! Et Vert' s'entraîne à prendre les baffes.

(Suite page 47.)

C'est une maladie. 'Faut se méfier, elle s'attrape déjà quand on est petit.

Prenons un exemple.
HEP, DÉSIRÉ !

Lui, c'est Melchior, il aime rigoler, raconter des blagues, faire des farces, tout ça...
HOHOHO.
C'EST PAS DRÔLE.
Et lui, c'est Désiré. On ne sait pas pourquoi mais il ne rigole jamais.

Il est en danger, il a une maladie qui va le rendre laid.

LE MÊME NEZ FLASQUE, LES MÊMES YEUX GLOBULEUX, QU'EST-CE QU'IL A DE PLUS QUE MOI ?
J'AIME SON SOURIRE.
HOHOHO.

Déceptions après déceptions, Désiré a de moins en moins envie de rigoler.
PRROOOOO
NA !

Il se fait du souci, attrape des petits boutons. On se moque de lui.
HI HI
HO HO

Et quand il essaie de rigoler de plus laid que lui...
HO HO HO !

...il ne fait qu'aggraver la situation.

Et plus il se sent laid, moins il rigole.

Et moins il rigole, plus il a des malheurs...

TOME & JANRY + DAN

Alors que son copain rigolo aura plein d'amis, un bon travail, des sous et des tas de petites copines...
HU HU
HO HO HO
HI HI

Désiré, lui, finira dans la peau d'un petit vieux tout laid et tout seul.

MAIS... C'EST PAS DRÔLE, TON HISTOIRE.
TOUS SUR MASSEUR ! IL L'A ATTRAPÉE !
366

REGARDEZ BIEN, LES ENFANTS, LES DESSINS QUE FORMENT LES ÉTOILES NOUS RACONTENT DES HISTOIRES...

VOYEZ, LÀ-HAUT, AVEC SA CHEVELURE D'ASTÉROÏDES, ON RECONNAIT LA CONSTELLATION DES AMANTS DE LA NUIT...
... AVEC À L'OUEST CLAUDIA DU CENTAURE...

...ET, À L'EST, MELCHIOR LE GUERRIER QUI BRÛLE POUR SA PROMISE D'UN AMOUR INFINI !
À CÔTÉ, ON DISTINGUE LA GALAXIE DES CAFTEUSES AVEC CANCAN ET MÉDISA DU BOULOT QUI SEMBLENT LES ÉPIER.

TOME & JANRY + DAN

ALORS QUE LA LUNE ACCEPTE UN BREF INSTANT DE VOILER SES RAYONS...

... ILS SEMBLENT PROFITER DE L'OBSCURITÉ COMPLICE...

...POUR PARTAGER SANS RETENUE QUELQUES ÉLANS D'INTIMITÉ...

...VOLÉS À LA NUIT.
HUM.

ET APRÈS TOUT, CHACUN PEUT IMAGINER CE QU'IL VEUT.
CES ÉTOILES QUE NOTRE BON DIEU A POSÉES LÀ...

...SI GRACIEUSEMENT, NE SONT SUSPENDUES DANS LE CIEL QUE POUR NOUS FAIRE RÊVER.
371

MOTUS ! FAUT L'ENTENDRE S'IL RENTRE À L'IMPROVISTE, JE VAIS TE MONTRER !
TOME & JANRY + DAN

C'EST LÀ-BAS DANS LE FOND...
GRAND-PAPY GARDE SA MAMAN DANS UN DRÔLE DE VASE ! TOUCHE À RIEN !

WAOW ! ÇA, ÇA TUE ! ON DIRAIT UN TRUC... UN CHOSE COMME À L'ÉGLISE.
UN AUTEL ! C'EST SUPER SACRÉ. ELLE EST MORTE, C'EST POUR SE SOUVENIR.
MAMAN

LA VACHE ! C'EST PLUTÔT ÉTROIT COMME HÔTEL, ELLE DOIT ÊTRE SERRÉE !
ÇA NE PREND PLUS DE PLACE ! ELLE EST REDEVENUE DE LA POUSSIÈRE.

TROP FORT ! HI HI, C'EST PAS LE MOMENT DE LÂCHER UNE CAISSE ! PF !
?

BAW
?

VERT' ! TROUVE QUELQUE CHOSE POUR RÉPARER OU C'EST NOUS QUI ALLONS FINIR DANS UN VASE !
PROUTE PROUTE
PROUTE PROUTE

UNE EXPLICATION, VITE ! OU ALORS COMMENCE À COURIR !
Maman
362

"CELA ME FAIT PLUS DE MAL QU'À TOI" C'ÉTAIENT SES PROPRES PAROLES.
DUGOURDIN
1924

EN CE TRISTE JOUR OÙ DIEU A RAPPELÉ À LUI CONSTANT DUGOURDIN, NOUS SOMMES NOMBREUX À PLEURER SA DISPARITION.
CHER SURVEILLANT GÉNÉRAL.

PLUS JAMAIS NOUS N'ENTENDRONS RÉSONNER DANS LA PETITE ÉCOLE LES SUPPLICATIONS RASSURANTES DES DERRIÈRES INDISCIPLINÉS SUR LESQUELS REBONDISSAIENT QUOTIDIENNEMENT LES LANIÈRES BIEN HUILÉES DE TON MARTINET.
SNIF

ET POURTANT... COMBIEN D'ENTRE NOUS SENTENT ENCORE DANS LEUR CHAIR LES BIENFAITS DE TA LONGUE VIE CONSACRÉE AU RESPECT D'UNE STRICTE MAIS NÉCESSAIRE DISCIPLINE, PROFITANT DE CHAQUE OCCASION POUR JOINDRE LA CRÉATIVITÉ...

... AUX LEÇONS D'UNE JUSTE PUNITION, TU AVAIS MÊME INVENTÉ DE NOUVELLES MANIÈRES DE FAIRE ENTRER EN NOUS LES VALEURS DU REPENTIR.

TOI SEUL MANIAIS LA RÈGLE EN FER AVEC CETTE PRÉCISION SI EFFICACE DONT NOS ONGLES RONGÉS PAR LE REMORDS GARDENT LE CUISANT SOUVENIR...

... ET BIEN DES OREILLES DISTENDUES MAIS ENFIN ATTENTIVES, ENTENDENT ENCORE ÉGRENER LA LISTE DE TES CHÂTIMENTS MÉRITÉS.

OUI, CONSTANT DUGOURDIN, NOUS TE PLEURONS... ET PEUT-ÊTRE QUE... POUR LA PREMIÈRE FOIS... EH BIEN...
BEUHEU
BEHEUUUU
BEUHEU..

TOME & JANRY +DAN.

HEM... CELA NOUS FAIT PLUS DE MAL QU'À TOI !

355.

BON, D'ACCORD ! ELLES SONT TROP PETITES ! ON A COMPRIS !

JE PEUX VOUS AIDER ?
C'EST POUR LE PETIT.
KEVIN

IL VOUDRAIT UNE NOUVELLE TENUE POUR L'ÉCOLE ; AVEC CES VÊTEMENTS-CI, IL SE SENT UN PEU "À PART"... IL VOUDRAIT ÊTRE HABILLÉ COMME LES AUTRES, À LA MODE...
UN LOOK JEUNE, "TENDANCE". VOUS AVEZ CHOISI LE BON POINT DE VENTE.
NEW
PROMO
DIOR
XXL
XL
L
M
T

PAR EXEMPLE, LE PETIT CALOT, MOI JE TROUVE ÇA SUPER MIGNON, MAIS LUI...
SUPPRIMER LE CALOT ?! SURTOUT PAAAAS !!

CETTE SAISON, LE CALOT, C'EST UPPER-CHOUETTE ! TOUS LES JEUNES EN VEULENT !
CE MODÈLE-CI, PAR EXEMPLE.

BRANCHÉ À DONF ! LIGNE SOBRE, FABRIQUÉ ICI PAR DES ADULTES, PAS PAR DES ENFANTS ESCLAVES DU TIERS-MONDE !
NOTEZ LE BOUTON DORÉ EN CUIVRE BROSSÉ DISCRÈTEMENT GLAMOUR

JUSTEMENT, LES BOUTONS EN CUIVRE...
DANS LES RÉCRÉS, ON SE LES ARRACHE !
LA PRODUCTION (BIO) NE SUIT PLUS.

...ET LES TAGS NOIRS SUR LES MANCHES ! C'EST TOP DÉLIRE !
R'GARDEZ COMME ÇA TUE !

ON JURERAIT QUE CE MODÈLE-CI A ÉTÉ FAIT SPÉCIALEMENT POUR LUI !
J'AI MÊME LES CHAUSSURES ASSORTIES.

TOMÉ & JANRY + DAN

ET DONC, AVEC TOUT CELA, IL SERA...
TOP TENDANCE MÉGA BRANCHÉ GARANTI !
GROOM FÉCHEUN

357

AH, NON ! MONSIEUR LE DIRECTEUR !
ADADAS

C'EST TOUT BONNEMENT FAUX ! ...DE LA PURE DIFFAMATURE !

QUAND JE PENSE QUE LA RÉPUTATION D'UN PROFESSEUR PEUT DÉPENDRE DE TELS BABORDS, BABARS... HEU, BOBARDS !

TOME & JANRY + DAN

UN SCANDALE ! UN TISSU DE FARIBULES !
ADADAS

C'EST ÇA ! MES RESPECTS, MONSIEUR LE DIRECTEUR !
ADADAS

CLOC !
BON ! JE VEUX POUR DANS UNE MINUTE ...
ADADAS

22... 23...
... LE NOM DE CELUI QUI EST ALLÉ SE PLAINDRE À LA DIRECTION QUE LE COURS EST UNE "TORTURE" !
ADADAS

IL PARAIT QUE CE COURS DE GYM SERAIT UNE TORTURE ...

... LE COURS DE GYM !
UNE "TORTURE" ?!
110 V.

BON, C'EST CE QUE LES ENFANTS PRÉTENDENT, HEIN !? MOI ...
LES ENFANTS, C'EST EMBÊTANT.

ÇA POURRAIT SE RÉPANDRE. LA RUMEUR POURRAIT ENFLER.
...ET TERNIR L'IMAGE DU CORPS ENSEIGNANT !
VOUS IMAGINEZ ?
NOS CARRIÈRES
MON AUGMENTATION

TOME & JANRY + DAN
CROYEZ-MOI ! LE BRUIT A DÛ ÊTRE LANCÉ PAR UN ÉLÈVE MALVEILLANT.
VOILÀ ! POUR ACCUSER, IL FAUT DES PREUVES !

BIEN D'ACCORD ! PAS DE PREUVE, PAS DE TORTURE !
OUAIIIIIIS

PAS DE PREUVE,
...PAS DE TORT...

339

!
ADADAS
!

TOME & JANRY + DAN

ADADAS

?
QUE?
GAW

ADADAS

KLOBOP
KLOBOP

ADADAS

335

Les enterrements et les mariages, c'est pareil. On comprend rien à ce que dit l'abbé.
CANULARIUM
DUREX
MUSCA FECCES
RECTUM
NAEVUS
MATER TUA IN SHORTUM CUM URSUS
AMEN
MEUHEU...

Au débuz, tou le monde se tien bien

De nouvelles amitiés naissent.
PRT

On se retrouve en famille.

On entend les mêmes histoires.
TOI, T'AS ENCORE GRANDI !
'LUT, ONCLE ALFRED !

On mange un bou. sur la fin tou le monde es contant de s'être revu...

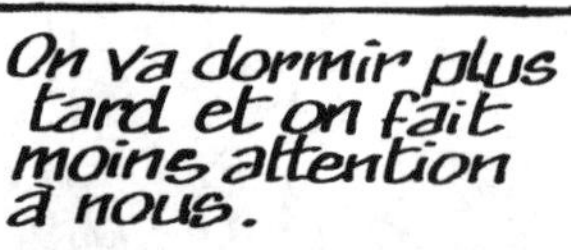
On va dormir plus tard et on fait moins attention à nous.

TOME & JANRY + DAN

'Y a toujours quelqu'un qui est triste.
POURQUOI TU PLEURES ?

C'EST NORMAL À SON ÂGE.

Souvent, c'est tante Célestine.
TOUT DE MÊME, ÇA VA FAIRE UN VIDE !
FIDO
À FIDO
353

HEU... HÉHÉHÉ BONJOUR, SPIROU

T'AS PAS ENVIE D'ALLER AU CINOCHE CE SOIR AVEC MOI ?
C'EST QUE...

...Y A RAOULETTE QUI M'A DÉJÀ DEMANDÉ. J'VAIS VOIR SI...
PEUT-ÊTRE...

TOME & JANRY + DAN

C'EST QUI, CETTE "GRIMPE-AU-POIREAU" ?!
FLIPPE

...SALUT, RAOULETTE ...HEU... POUR CE SOIR...
LE CINÉ ? TOI ET MOI ?

C'EST QUE...MMM SUZETTE INSISTE POUR Y ALLER AVEC MOI ET...
QU... QUOI ?!

VA LA RETROUVER ! T'ES QU'UNE GLAIRE !
PAIN

HÉ, SUZETTE, ON S'EST DISPUTÉ AVEC RAOULETTE ET DONC, POUR CE SOIR, C'EST OK... LE CIN'...

TARTE

ESPÈCE DE TRACE DE FREINAGE ! TU TE SERS DE MOI POUR OUBLIER L'AUTRE ! TU M'DÉGOÛTES !

T'AS ENVIE D'ALLER AU CINÉ AVEC MOI ?

UN AUTRE JOUR. J'AI DE LA CONJONCTIVITE.

354

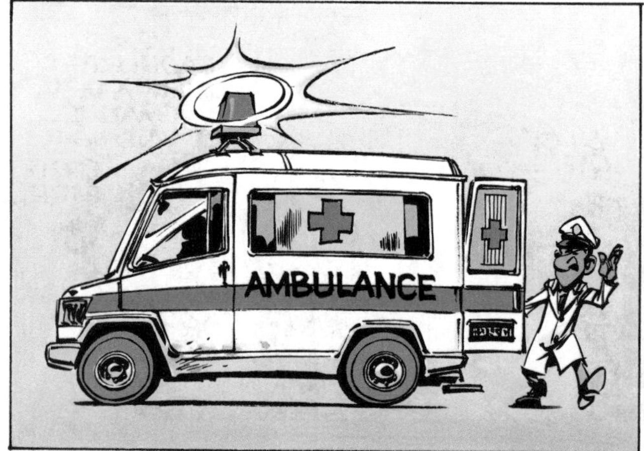
AMBULANCE

OUAIS
ALLEZZ!
OUAIiiiis

TOME & JANRY + DAN

UAIS
OUAI

IIe RALLYE ANNUEL DES CAISSES À SAVO
348

... REMONTÉE FULGURANTE DU PILOTE NUMÉRO 1 ET SON BOLIDE SPONSORISÉ PAR LA PAPETERIE "TOUTE LA GOMME" !
1
'TOUTE LA GOMME
PAPETERIE

CE DEUXIÈME RALLYE ANNUEL DES CAISSES À SAVON EST DÉCIDÉMENT PLEIN DE SURPRISES !
1
'TOUTE LA GOMME'
PAPETERIE
9

TOME & JANRY + DAN

1
"TOUTE LA GOMME"
PAPETERIE
TOUTOU
BOULETTES
FIDOU
5

7
SANIDOUCH
PLOMBIER
1
'TOUTE LA GOMME'
PAPETERIE

4
1
'TOUTE LA GOMME'
PAPETERIE

3
1
'TOUTE LA GOMME'
PAPETERIE

TOUTE LA GOMME
PAPETERIE

OH, MAIS... LE NUMÉRO 1 A COMMIS UNE IMPRUDENCE ET... NON!!

LA BONNE MINE
PAPETERIE
'TOUTE LA GOMME'
PAPETERIE
349

IL FAUT POUR L'ÉCOLE UN PROFESSEUR D'ÉDUCATION SEXUELLE...
... ET VOUS NOUS PROPOSEZ VOTRE CANDIDATURE!

... QUE J'AI ÉTUDIÉE AVEC L'AIDE DE QUELQUES PROFESSEURS.

TOME & JANRY + DAN

LE SÉRIEUX DE VOTRE DOSSIER A FAIT PENCHER LA BALANCE EN VOTRE FAVEUR, MADEMOISELLE MARONCE-FURONCLE.

HEM... VOS TABLEAUX EXPLICATIFS SUR "LA REPRODUCTION" ONT IMPRESSIONNÉ.
DANGERS
SOLUTIONS
MALADIES
ABSTINENCE

AFIN D'OBTENIR DÉMOCRATIQUEMENT L'AVIS DE TOUS, DU PLUS GRAND AU PLUS PETIT...

NOUS AVONS DEMANDÉ À UN ÉLÈVE DÉLÉGUÉ DE NOUS AIDER DANS NOTRE CHOIX.

ALORS, MON PETIT, C'EST LAQUELLE DES DEUX MADAMES QUE TU VOUDRAIS?

POUR COMMENCER, QUELQU'UN A-T-IL DES QUESTIONS SUR LE COURS?
341

PRENEZ UN
PLATEAU

ADADAS

TOME & JANRY + DAN

336

Quand on est p'tit, tout le monde en profite pour nous raconter des bobards.

J'ai des tas d'exemples.

"SI LES CLOCHES SONNENT, TU RESTERAS COMME ÇA TOUTE TA VIE !"

"QUOI ? TU NE VEUX PAS EN MANGER ? MAIS C'EST LE MEILLEUR !"

" REGARDE : TU AS AVALÉ UNE PIÈCE DE 5 F. ET 50 CENTIMES SONT DÉJÀ RESSORTIS "
"PLUS QUE 4F50"

" ÇA ME FAIT PLUS DE MAL QU'À TOI "

" HEU ... FISTON, NE ME DIS PAS QUE TU NE CONNAIS PAS, HEM... TANTE CÉLESTINE ?"
?

Même les copains s'y mettent parfois...
" LES NÉNÉS DE MA MAMAN, BEN, Y DONNENT DU CHOCÓMEL"

TOME & JANRY + DAN

...Et malgré tout, à chaque fois, on se laisse avoir...

" TU VAS VOIR, TU NE SENTIRAS RIEN !"
" BOUGE PAS ! ELLE TE PIQUERA PAS ! "
356

BON, PAPA, TU VEILLES SUR LE SOMMEIL DU PETIT, ON NE VEUT PAS D'HISTOIRES, SINON...
..."LE HOME DU DERNIER SOUPIR", JE SAIS !..

J'AI DÉJÀ VÉRIFIÉ. LE PETIT DORT COMME UN ANGE !
'Y A INTÉRÊT !
PARTEZ TRANQUILLES !
CLAP

YEPEE ! TROIS HEURES DE LIBERTÉ ! J'AI CRU QU'ILS NE DÉCOLLERAIENT JAMAIS !
VROOO...

ET MA GOURMANDINE QUI M'ATTEND DÉJÀ EN HAUT DE L'ÉCHELLE !
ZZZZZZZ

TOME & JANRY + DAN

HARDI, MA PANTHÈRE ! C'EST LE GRAND SOIR ! QUEL CHIC, CETTE GUÊPIÈRE !
C'EST UN BUSTIER, IGNARE ! MAIS IL FAIT SI CHAUD ! VAIS-JE POUVOIR LE GARDER ?

HEM... METTEZ-VOUS DONC À L'AISE ! REGARDEZ, J'AI PENSÉ À NOS PETITS DIVERTISSEMENTS !
ET MOI, J'AI PRÉVU UNE SURPRISE !

GNIIIIIIIIIIIIII
VOUS GÉMISSEZ DÉJÀ ? À MOINS QUE...
'FAUDRA HUILER CETTE PORTE !

CONCERT ANNULÉ, PAS DE CHANCE !
TANT PIS ! ON REGARDERA LA REDIFFUSION DE "TOURNEZ TIRELIRE"

...OU ALORS CETTE VIDÉO DE BLANCHE-NEIGE EN VERSION SUÉDOISE.
HI HI ! COQUIN !

REGARDE ! PAPA NOUS A MÊME SERVI LE CHAMPAGNE !
COMME C'EST CHARMANT !
?
363

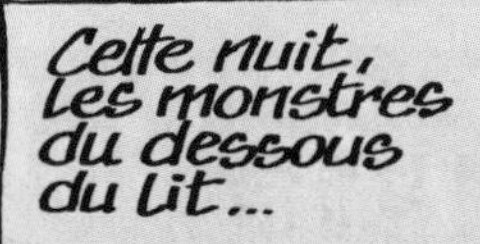
Cette nuit, les monstres du dessous du lit...

...sont revenus !

M'MMAANNN !!

M'MAN, C'EST PLEIN DE MONSTRES SOUS MON LIT, SNIF...
JE VOIS.

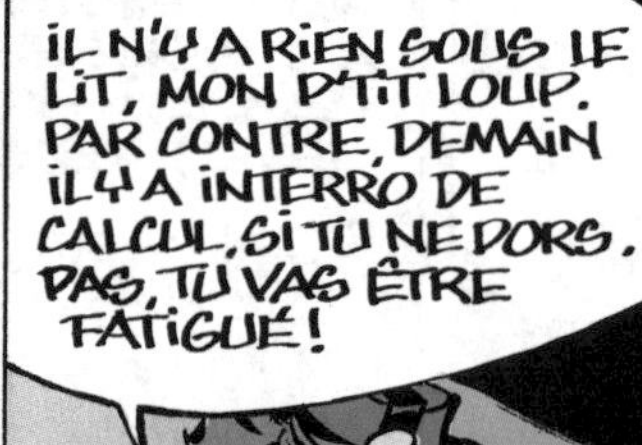
IL N'Y A RIEN SOUS LE LIT, MON P'TIT LOUP. PAR CONTRE, DEMAIN IL Y A INTERRO DE CALCUL, SI TU NE DORS PAS, TU VAS ÊTRE FATIGUÉ !

ALLEZ, BONNE NUIT. ESSAYE DE NE PAS HURLER UNE SEPTIÈME FOIS ! TOUT LE MONDE A BESOIN DE SOMMEIL.
MÊME LES MONSTRES

3H00 DU MAT ! C'EST PLUS PRUDENT DE PASSER DISCRETOS PAR LA CHAMBRE DU PETIT, SINON, FINIES, MES PETITES VIRÉES NOCTURNES

OUF ! LA FENÊTRE EST ENTROUVERTE HÉ HÉ HÉ, SURTOUT PAS LE MOINDRE BRUIT...

BLOINK
Zzzzzz ?!

TOME & JANRY + DAN

BON ! JE VAIS REGARDER SOUS TON LIT ! MAIS QUE J'Y TROUVE UN FARFADET OU PAS, QUELQU'UN VA SE PRENDRE UNE SOLIDE DÉROUILLÉE !
358

VOTRE MAILLOT, M'SIEUR ! IL...

SILENCE, BANDES DE MOULES !
LE SAUT ACROBATIQUE EXIGE LA SÉRÉNITUDE POUR LAISSER PLACE À LA BEAUTÉ DES CORPS EN PLEINE SANTÉ.
KROK

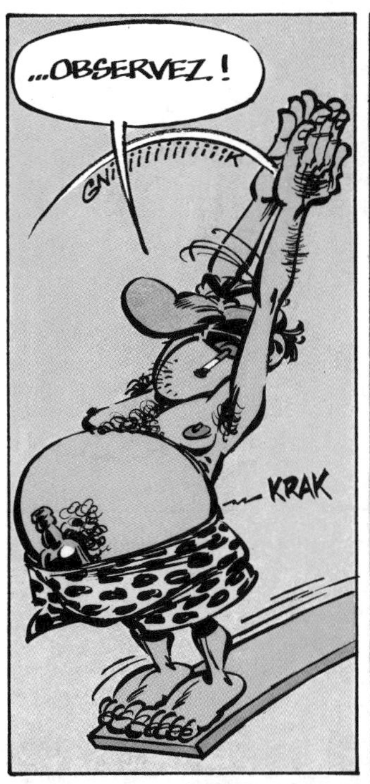
...OBSERVEZ !
GNIIIIIIIIIIIK
KRAK

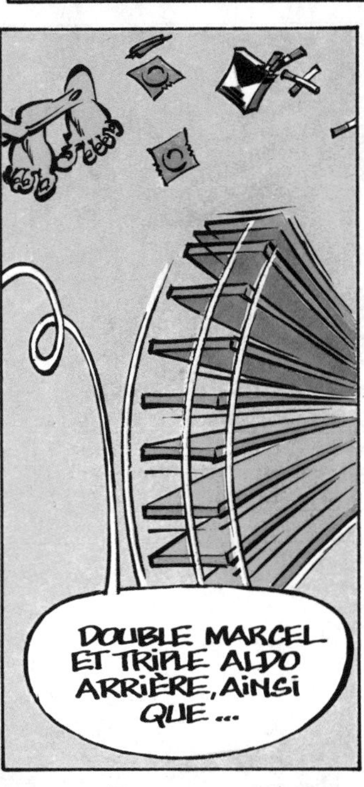
DOUBLE MARCEL ET TRIPLE ALDO ARRIÈRE, AINSI QUE...

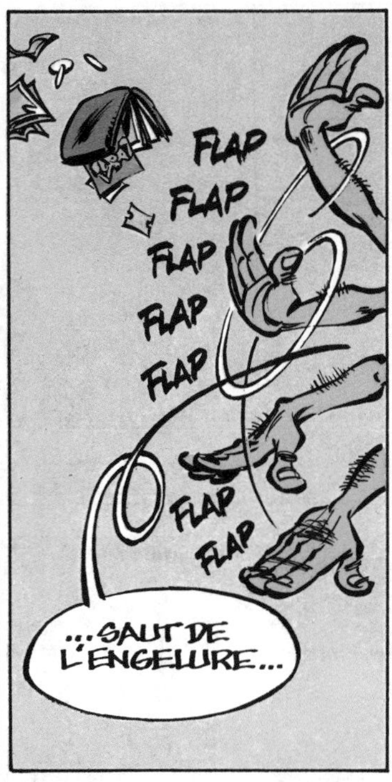
FLAP
FLAP
FLAP
FLAP
FLAP
FLAP
FLAP
...SAUT DE L'ENGELURE...

...ET UNE FIGURE PERSONNELLE POUR CONCLURE LE SPECTACLE !
CHIPS

...ET PLOUFTE !
TOME & JANRY + DAN
344

...VU ? BANDE DE MOULES ?

?

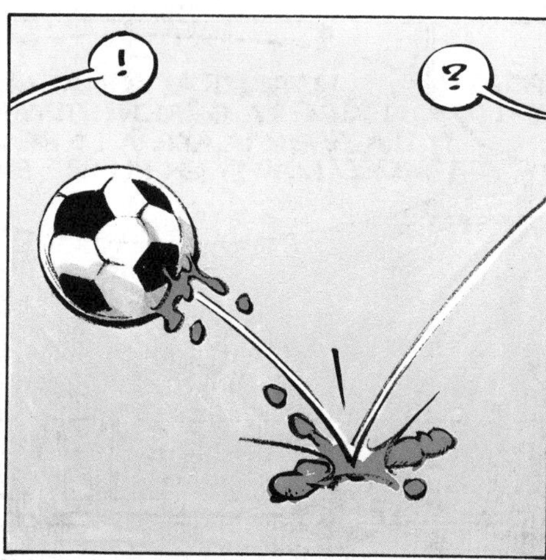
!
?

TOME & JANRY + DAN

?

?

?

?
TROP FORT ! C'EST QUOI LE TRUC ?
TU MÉLANGES DES CRAIES DE COULEUR AUX CROQUETTES POUR CHIENS !
DADAS
360

HEP! LES TOURTERAÏLES !
AU PIED !
?
?

PAR ICI LES NEMÉNEMS® ! (QUI VONS FONDRE DANTS MA BOUCHE, PAS DANTS LA VÔTRE)
QUOI?? SNIF! C'EST DU RACKET! JE L'DIRAI !
NA FOUT

TOME & JANRY + DAN

UN MOS AU DIRLO ET J'AT'ACHE UNE DEMI-TONNE DE CASSEROLES À LA QUEUE DE VESSIE, VOT' CLEBS DE BOUFON !
WAAH!! ET D'ABORD, ON N'EN A PLUS, DES NEMÉNEMS®. ON A TOUT MANGÉ !
LAISSE ! J'EN AVAIS ENCORE UN PAQUET EN POCHE !
BOUFFON TOI-MÊME !

T'AT BIEN FAIS D'EN GARDER, CROTE DE NEZ ! QUANTS J'AI PAS MA DAUSE CH'UIS PATS D'HUMEUR !
HÉ COUL ! Y A DES NOUVAILES COULEURS !
C'EST LEUR PROMO POUR LE PRINTEMPS.
POP
...LES COULEURS DU PRINTEMPS.
SNIF

POLTRON ! ET S'IL AVAIT VOULU MA VERTU, TU AURAIS LAISSÉ FAIRE ? JE TE DÉTESTE !
DE L'AIR, LES LARVES ! DEMEIN, MÊME HEURT !
NEMENEM

PLUS TARD...
?
HEP, FISTON !
C'EST PAS TOI QUI AS JOUÉ AVEC MES DRAGÉES ?

'FAUT PAS LES PRENDRE POUR DES BONBONS, HEIN... FISTON ? HEU... MES DRAGÉES SIPHONEX SONT UNIQUEMENT DESTINÉES À SOIGNER MES DIGESTIONS PARESSEUSES...
?
RLLLBROGLÔÔ
DRÔR
BRLOGL
GLL
GLOT

NON, MONSIEUR SPIROU ! POUR CE SPORT-LÀ, L'INTELLIGENCE EST SANS IMPORTANCE !

ET D'AILLEURS, PUISQUE VOTRE PROFESSEUR D'ÉDUCATION SEXUELLE EST ABSENT, JE VOUS DONNE LA LEÇON À SA PLACE.

SUIVEZ-MOI SUR LE TERRAIN !

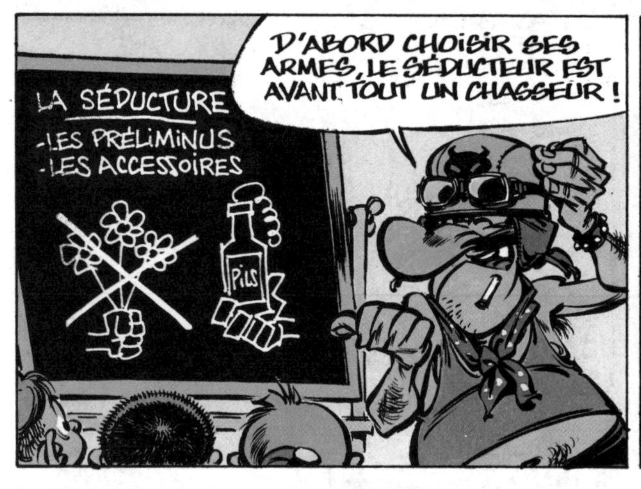

LA SÉDUCTURE
-LES PRÉLIMINUS
-LES ACCESSOIRES
PILS
D'ABORD CHOISIR SES ARMES, LE SÉDUCTEUR EST AVANT TOUT UN CHASSEUR !

SALUT, BABY !
ÇA ROULE ?

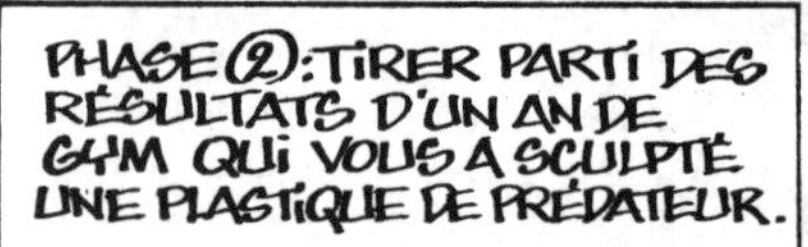

PHASE ②: TIRER PARTI DES RÉSULTATS D'UN AN DE GYM QUI VOUS A SCULPTÉ UNE PLASTIQUE DE PRÉDATEUR.

UNE P'TITE BIÈRE POUR LA ROUTE, POULETTE ? LA BOISSON DES HOMMES.
?

ET LÀ, PLUS DE CHICHI ! PHASE ③: CONCLUTURE DANS LE FOIN APRÈS UN...

...BAISER PROFOND AVEC LA LANGUE.

TOME & JANRY + DAN

MA GAZELLE, POURQUOI ME BRISER AINSI LE CŒUR ?

...ET DONC AVANT TOUT, TOUJOURS VÉRIFIER SI LA VOIE EST LIBRE.

VOUS ÉTIEZ DEUX CANDIDATES ET JE DEVAIS EN CHOISIR UNE.

... POUR LE REMPLACEMENT TEMPORAIRE DE NOTRE PROFESSEUR DE GYMNASTIQUE,
J'AI PRIS MA DÉCISION !
GONFLETT
VITAMINE
EPO DRINK

TOME & JANRY + DAN

CE SERA VOUS, MADEMOISELLE DUMOIGNON.
SAGE DÉCISION. LA SANTÉ PHYSIQUE DE VOS ÉLÈVES VA EN PROFITER !
DU MOMENT QUE LA MIENNE RESTE STABLE ...
EPO DRINK
GONFLE

DÉSOLÉ POUR VOUS, MADEMOISELLE JOLIMINOIS, MAIS SAUF IMPRÉVU, NOUS NE POUVONS...
JE COMPRENDS SNIF... DOMMAGE.
MUSCLOR

SENSIBLERIE DÉPLORABLE. IL FAUT LES ENDURCIR, CES NAINS ! DÈS DEMAIN, ÉPREUVE CYCLISTE. JE SUIS MOI-MÊME UNE PRATIQUANTE.
VOTRE LETTRE DIT QUE VOUS VENEZ À VÉLO À L'ÉCOLE.
80 KM TOUS LES JOURS EN EFFET !

?
?
?

C'EST SÛR, CE COUP-LÀ, ON EST BONS POUR L'ÉCHAFAUD !

HEU... MÊME SI ELLE N'EST QUE PARALYSÉE...
PAS SI ON RAMASSE LES PUNAISES APRÈS.
337

OLÉ !

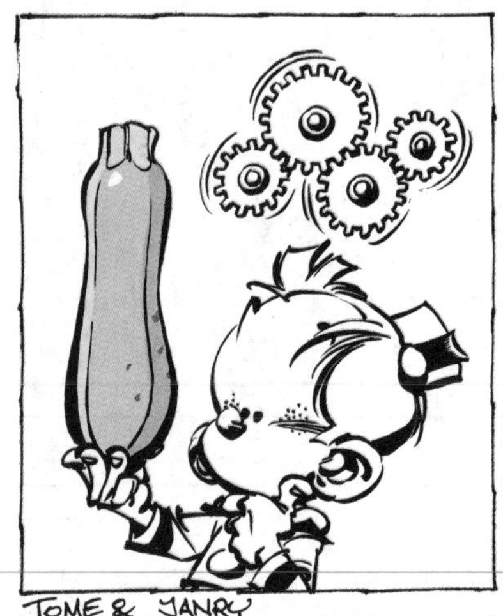
TOME & JANRY

345

!

HÉ, COOL ! T'AS MIS TON MAILLOT DE BAIN !

C'EST UN "TOP" IGNARE !
C'EST VRAI QUE C'EST TOP ! J'AI VU LE MÊME DANS "NOMBRILS" !
ÇA DONNE ENVIE DE MORDRE DEDANS !
PIS ÇA A COMME UN AIR DE VACANCES, DÉJÀ !

STOP !
LES RÈGLES DE L'ÉCOLE SONT TRÈS PRÉCISES : LES ÉLÈVES DOIVENT VENIR EN TENUE DÉCENTE !
MAIS...

QU'EST-CE QU'IL Y A DE MAL À... ?!?
OUAIS, C'EST ÇA : ON MONTRE D'ABORD LE NOMBRIL ET PUIS LE TRULULU ET LE TAGADA...
ON N'EST PAS AU MOULIN ROUGE !

MAIS, M'SIEUR ! C'EST PAS INDÉCENT, UN NOMBRIL ! C'EST PAR LÀ QUE SORTENT LES BÉBÉS !
PIS, MÊME ! LE P'TIT JÉSUS, IL EST NÉ TOUT NU !
HEIN ?
ET PIS, C'EST À LA MODE ! J'VOUS AI VU REGARDER LES MÊMES DANS "NOMBRILS" !
DE QUOI ? ...MÊME ! ÇA NE VAUT PAS.

TUT-TUT-TUT ! JE NE VOIS PAS UNE SEULE BONNE RAISON POUR TOLÉRER CE... CET ÉTALAGE ! DONNEZ-MOI SEULEMENT UNE BONNE RAISON...
UNE SEULE !

?

Voici la tête du libraire (aucune chance).
OUAIS ?

Parfois, c'est sa femme qui le remplace (c'est pire).
DANS LES RANGÉES DU BAS. TI CANARD MENSUEL !
PCHIIIII

Heureusement parfois...
GNAN GNAN

...c'est leur fille qui tient le magasin.
BONJOUR, MON P'TIT LOUP, JE PEUX T'AIDER ?

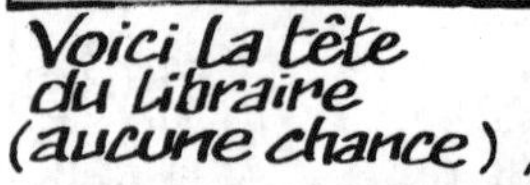
TOME & JANRY + DAN.

HEM, C'EST PAS POUR MOI, MAIS POUR GRAND-PAPY ! J'ME SOUVIENS PLUS DU NOM DU MAGAZINE.
BRAVE GARÇON !
NEMÉNEM
NEMÉNEM

AH OUI ! JE CROIS QUE JE VOIS DE QUOI TU PARLES !
J'ME SOUVIENS SEULEMENT QUE C'EST DANS LES RANGÉES DU DESSUS.
Paris... Paris...
GALIPET
TOUNU
SEXY TABOU
BEST OF
POGNON
INAFOOT
TIERC
COIN-COIN
GNAN GNAN
OURSON

"Paris-Fripon" IL Y A UN NUMÉRO SPÉCIAL !
HEU... BOF. JE CROIS QU'IL L'A DÉJÀ, CELUI-LÀ !
"GROLOLO" C'EST CELUI AVEC LE POSTER CENTRAL ?
Paris Fripon
SPECIAL SENIOR
PAIRES
FLOUZE
POGNON
LAPIN
RIGOLO !
RIRI

HA, NON ! CELUI-LÀ C'EST "PAIRES" !
PAIRES

DING
LE NOUVEAU "GROLOLO" EST SORTI ?
PAIRES
LAPIN

!
HEM... OUPS ! PARDON ! JE... JE N'AVAIS PAS VU QUE TU ETAIS AVANT MOI, PETIT !
ALLEZ-Y, ALLEZ-Y ! CH'UIS PAS PRESSÉ.
GLOP

MAIS NON, MAIS NON ! C'EST QUOI QUE TU ES VENU ACHETER ?

"ROUKOUKOU ET RIDIDI" !
ET POUR MOI, BIEN SÛR...
LE CALENDRIER SCOUT.
352

LA BIÈRE, BANDE DE MOULES...

...EST LA SEULE BOISSON DU VRAI SPORTIF...
"MARS PILS, LES SPORTIFS SAVENT POURQUOI"
MARS PILS

TOME & JANRY + DAN

...ET NE ME PARLEZ PAS DE CES BIÈRES ALLÉGÉES EN ALCOOL POUR BOUFFONS !
GLOP GLOP GLOP GLOP GLOP
TERTOUL NA
NATURE

UNE BIÈRE VAUT DEUX TARTINES !
LE SPORTIFTE NE DOIT PAS PRENDRE À LA LÉGÈRE LA DIÉTÉTU... DIÉTIT...
L'ALIMENTU... L'ALIMENTERIE !

MÔSSIEUR SPIROU ! C'EST QUOI, CES RICANURES DANS LE FOND ?!

VENEZ RÉPÉTER DEVANT TOUT LE MONDE TOUT CE QUE JE VIENS DE DIRE !
MARS PILS

JE NE FAISAIS PAS TOUTES CES GRIMACES !
GYM
AUJOURD'HUI L'ALIMENTURE
KETCHUP
1/10
APEX
BASTON F.C.
ADADA
JE N'AI PAS CHANGÉ UNE VIRGULE !
346

BEN, QU'EST-CE QUE TU FAIS ?
JE SABOTE LA VESTE DU PROF DE GYM.
ADADAS

?
J'AI MES INFOS...
...IL A UN RENDEZ-VOUS !

TOME & JANRY + DAN

ALARM
T.V.
SENÕR MÉGOT ! QUELLE JOIE DE VOUS VOIR EN CE BUREAU !

PST !
prudanse! les micros fonctionment toujour!
MAIS...

MMRT
HEM... VOTRE VISA EST ACCORDÉ. SOYEZ LE BIENVENU AU SANTOS CHICOS !
parlé de chose quel conque !

HEM... JE BRÛLE DE VOUS DÉCOUVRIR... DE DÉCOUVRIR VOTRE PAYS SI SECRET.
Soledad ! je suis fou de vous !

HEM... MAIS IL EST PRÊT À DÉVOILER SES CHARMES !
ne résistai plus, mon amour !
Désiré ! mi corazón

je n'en puit plus !

MAIS TU SABOTES QUOI, AU JUSTE ?
L'ATTACHE ! ...UN FRÉMISSEMENT ET ELLE CRAQUE !
KRAK
T.V.
!
ADAS
Oooh ! oui ! ouiiii !
347.

BODO
BODO
BODO

BODO BODO

BADA
BODO

TOME & JANRY + DAN

BODO
BODO

BODO BODO

?
350

?

VRRRRRRRR
!

?

TOME & JANRY + DAN
?

PFFFFFFFF...

?

?
365

HÉ! HO!
QUI C'EST QUI A PRIS LE CADEAU?
ZZZZZZHU?!! ZZZZZ LE "CADEAU"?

...POUR L'ANNIV' D'ANNE-SOPHIE!!
HA OUAIS! LE CADEAU!
ATTENDS, JE VAIS DEMANDER.

HÔ, LÀ-DERRIÈRE! T'AS LE CADEAU?
LE CADEAU? NAN, J'AI RIEN, MOI! PEUT-ÊTRE QUE DERRIÈRE...

TOME & JANRY

HÉ! ILS DEMANDENT LE CADEAU À L'AVANT. C'EST PAS TOI QUI L'AS?
J'CROIS QU'IL EST ENCORE PLUS LOIN. J'VAIS TRANSMETTRE.

C'EST L'AVANT QUI DEMANDE LE CADEAU!
MINUTE! JE CROIS QUE...

OUAIS! LE VOILÀ! DIS QU'IL ARRIVE!
ÇA VIENT! FAIS PASSER!
...

IL ARRIVE! TU S'RAS CONTENTE, ON S'EST TOUS COTISÉS!
BON ANNIVERSAI
367

BON, QU'AS-TU À ME MONTRER DE SI INTÉRESSANT, PETIT DE VOYOU ?
L'ARME ULTIME DU SÉDUCTEUR DES PLAGES.

?
CET ENGIN SOPHISTIQUÉ IMITANT À LA PERFECTION UNE PAIRE D'HALTÈRES A ÉTÉ SCULPTÉ PAR DES MAINS EXPERTES DANS UN MATÉRIAU NOBLE...
1000 Kg
1000 Kg

...DU BOIS !
INGÉNIEUX ! JE N'Y AURAIS JAMAIS PENSÉ !
COMBIEN ?

COMBIEN ?
IMAGINEZ LES EXTRAORDINAIRES AVANTAGES !
COMBIEN ?!

L'ALLURE D'UN SPORTIF SANS EFFORTS ! LE SEUL ACCESSOIRE QUI VOUS MANQUAIT POUR AVOIR LE LOOK D'UN VRAI MAÎTRE-NAGEUR !
OK ! COMBIEN ?

TROIS MOIS D'EXEMPTION DU COURS DE GYM.
DEUX ! ESPÈCE DE TRICHEUR PARESSEUX !
KRAK

HÉHÉ
HINHIN
KRIK
?
HOP !
KRIIIN
KROK

AU SECOURS ! JE ME NOIE À L'AIDE
COUINE COUINE
!

N'Y A-T-IL PAS UN HÉROS POUR ME SAUVEEER ?!

TOME & JANRY + DAN

TENEZ BON, MA MIE ! VOTRE CHEVALIER ARRIVE !

MA MAIN ! GLBLL
PRENEZ MA MAIN ! GLOBLL
ARGLBLBL
BLOB

ÇA IRA ! JE M'EN SORTIRAI AVEC LA BOUÉE.
343

TiK
ROULROULROU...

BOUF

POK

ELLE EST À MOI !
HA NON ! C'EST MOI LE PLUS PRÈS, REGARDE !
TU-TUT, ALLEZ HOP ! OUSTE !

DU BALAI, LES NAINS ! C'EST MA PLACE ! ALLEZ JOUER AILLEURS AVEC VOS STUPIDES...
MAIS... M'SIEUR !

BOULES DE...
POK

BANDE DE GNNN... MOULES TERRORISTES !
HOOLIGANS EN SHORT !

Z

TOME & JANRY + DAN

TiK
ROULROULROUL...

ELLE EST POUR MOI !
¡JAMAIS ! MOI D'ABORD !
Z
364

TOME & JANRY + DAN

BANDE DE MOULES...?!
...QUE PERSONNE NE BOUGE ! QUI A...
ADADAS

ADADAS

...CHIPÉ MON NOUVEAU TÉLÉPHONE PORTABLE !? JE VOUS PRÉVIENS : ON NE ME MANGERA PAS LA LAINE SUR LE DOS ! ALORS ?!

PERSONNE NE SE DÉNONCE ? TANT PIS ! J'AI LE MOYEN DE DÉMASQUER LE VOLEUR. MONSIEUR PONQUE ?
APPELEZ MON TÉLÉPHONE !
HEIN HEIN
TUT TUT

TRULULUUUU
ADADAS
361

TRULULU

C'qui est marrant à la mer, c'est les maillots...

...Surtout pour tout ce qu'on peut mettre dedans pour faire croire qu'on a une grosse turlutte.
REGARDEZ-MOI CES P'TITS HOOLIGANS!

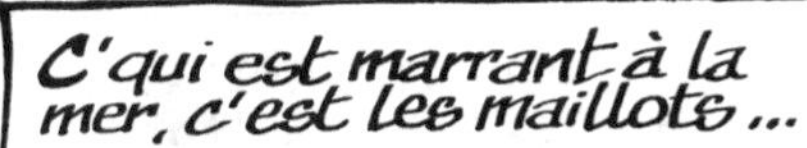
TOME & JANRY +DAN

ILS SE METTENT DU SABLE DANS LE MAILLOT POUR FAIRE CROIRE AUX FILLES QU'ILS ONT UN SUPER...
...UN SUPER GROS...
UN GROOOS...
NE SOYEZ PAS EMBARRASSÉ, MON AMI...
HEU

JE COMPRENDS AUSSI LES GROS MOTS. JE N'AI PAS TOUJOURS ÉTÉ PRÊTRE...

MÊME MOI, J'AI ÉTÉ PETIT!

...ET D'AILLEURS, ENTRE COLLÈGUES DE CHAMBRÉE À ST. ALBERT, APRÈS AVOIR MANGÉ DES HARICOTS...
?

ALLONS DONC! OÙ EST-IL ALLÉ, LE BOUGRE?

PIROUIIIIIIII
ALLEGRETTO

HEU... DÉSIRÉ?
DIS DONC, PETIT, TU N'AS PAS VU...?
...VOTRE COLLÈGUE? PAR LÀ!

Z'AVEZ QU'À L'APPELER PAR TÉLÉPHONE!
HA! PAS BÊTES, CES JEUNES!
HOP!

TIT TIT TIT TIT TIT TIT TIT TIT TIT TIT

TRULUUUUUUUUUUUUU
VRRRRRRRRRRR
368

HEU,,..ET SI ON LUI DEMANDAIT À ELLE !
OK, APRÈS TOUT, POURQUOI PAS ?

ALLONS-Y ENSEMBLE !
HEIN, T'ES FOU !?
SANS MOI !

BEN QUOI ? TU VEUX SAVOIR OU PAS ?
J'VEUX SAVOIR MAIS J'VEUX PAS PASSER POUR UN DÉBILE. SALUT.

DILING !
VROOOOOOO
!

BONJOUR, PETIT, ET POUR TOI, QU'EST-CE QUE CE SERA ?

C'EST QUEEEUUHEURRRrr.. C'EST PAS MOI MAIS MON COPAIN QUI HEURRr.. IL Y A UNE QUESTION QU'ON VOUDRAIT SAVOIR SI...
MAIS JE T'ÉCOUTE, MON P'TIT CŒUR, C'EST QUOI, CETTE QUESTION ?

À VOTRE AVIS, POUR UN GARÇON, C'EST MIEUX UN PETIT OU UN GRAND ZINBOINBOIN ?
ET C'EST QUOI À PEU PRÈS, LA BONNE TAILLE ?

BIN, C'EST BIEN MON AVIS QUE TU DEMANDES ?
VOUS EN TANT QUE MADAME, OUI.
EH BIEN...

ALORS ?! QU'EST-CE QU'ELLE A DIT QU'EST-CE QU'ELLE A DIT ?!

HÉ HO ! SI TU VEUX SAVOIR, T'AS QU'À AVOIR LE COURAGE DE D'MANDER TOI-MÊME !

TOME & JANRY. + DAN

"DEMANDER TOI-MÊME"... PFF, C'EST MALIN !
BONJOUR, PETIT, JE PEUX T'AIDER ?

HEU... HÉ BIEN ...
DILING

"COIN-COIN" MAGAZINE, IL EST ARRIVÉ ?
BÉNITIER
369

Celle-là, c'est Grand-papy qui la raconte. Moi, j'me souviens plus...

BLONK

QUI C'EST QUI A LAISSÉ LE PETIT JOUER AVEC MA LAMPE DE POCHE AU REPAS D'HIER SOIR ?
358

QUOI? ELLE A UN TATOUAGE DE MICKEY EN STRING?
...SUR LE TUGUDU! J'TE JURE!
J'TE CROIS PAS!!
LOVE

TU PEUX RACONTER CE QUE TU VEUX, ON PEUT PAS VÉRIFIER.
BEN, 'SUFFIT DE LUI D'MANDER DE LE MONTRER.
HEIN?
...HEU QUOI?! T'ES FOU?!

DEMANDER À LA LIBRAIRE DE MONTRER SON TUGUDU AVEC LE TATOUAGE, LÀ, TOUT DE SUITE?!!
CHICHE! CH'UIS PRÊT À PARIER UN MILLION!
UN MILLION, TU LES AS PEUT-ÊTRE?!

CH'UIS SÛR DE GAGNER!
HEU HÉ! ATTENDS!!
TUTUT!! UN MILLIARD! TROP TARD POUR TE DÉGONFLER!
DRIiiiiNNG

...ET COMPTEZ PAS SUR MOI POUR VOUS RACONTER CE QUE J'AI VU, BANDE DE TROUILLARDS À FOIE JAUNE!
LOLO?

TOME & JANRY

TÉLÉPHONE POUR TOI!

J'VAIS PAS ÊTRE CHIEN: TU AS JUSQU'À LUNDI, MAIS APRÈS...
?
LOVE

Quelques andouilles... ...sauf lui !

MONSIEUR MÉGOT

Le prof de gym.
Désiré de son prénom;
indésirable auprès de
ses élèves.
Auteur de la formule :
"Le sportif intelligent
évite l'effort inutile".
Boit.
Fume.
Boit.
Fume.
Craque de partout.

L'ABBÉ LANGÉLUSSE

(Hyacinthe.)
C'est le gardien
vigilant des âmes
qui vivent à l'ombre
du clocher.
Épie mes promenades
avec Suzette
au petit bois.
Parle parfois avec
"Lui" !
Aurait déjà sa place
réservée "Là-haut".
Et on ne rigole pas avec
ces choses-là.

MELCHIOR DUGENOU

C'est le petit ami caché
de la prof de calcul.
Mais c'est un secret,
on ne peut pas le dire.
Surtout quand
Mademoiselle Chiffre
l'emmène pour un bain
de minuit et que nous
sommes dans les buissons
pour les observer. Parfois,
je me dis qu'il a bien de la
chance, "Melchiorichou".

GRAND-PAPY

(Je l'appelle Pépé.)
Aurait connu
les tranchées.
Fume la pipe sans
avaler la fumée.
Lauréat invaincu du
Rallye des Ancêtres
à roulettes.
Porte un dentier
et prend des bains
de pieds aux algues
aromatiques.
Complètement fondu.
C'est ma grande
personne préférée.

FC Kill
ADADAS

SI VOUS AIMEZ COMME MOI "PARIS- FRIPON" ET "FROU-FROU JOURNAL", VOUS AIMEREZ LES ALBUMS DE "SODA", DE "PASSE-MOI L'CIEL" ET LE MAGAZINE SPIROU.

Dépôt légal : novembre 2001 — D.2001/0089/231
ISBN 2-8001-3113-6 — ISSN 0776-2844

Imprimé en Belgique par Proost / Fleurus.

Spirou de 6 novem!

CIRCUS